fol
pre

Traduit de l'anglais
par Anne Krief

Maquette : Karine Benoit

ISBN : 978-2-07-066901-1
Titre original : *The Not So Little Princess – Where's Gilbert ?*
Édition originale publiée par Andersen Press Limited, Londres, 2015

Loi n° 49-956 du 16 juillet 1949 sur les publications destinées à la jeunesse
N° d'édition : 289846
Dépôt légal : octobre 2015
Imprimé en Espagne par Novoprint (Barcelone)

Tony Ross et Wendy Finney

La princesse pas si petite

Où est passé mon ours ?

GALLIMARD JEUNESSE

Chapitre 1

Par une belle journée d'été, tous les habitants du château étaient occupés à faire ce qu'ils avaient à faire. Le roi était dans la chambre des comptes et comptait son argent. La reine était dans le petit salon et mangeait des tartines de miel. Mais la gouvernante avait chargé quelqu'un d'autre de la lessive, car c'était son jour de congé !

Rosie, la princesse pas si petite, était assise au soleil, à côté du gros buisson de roses. Elle inventait des histoires qu'elle racontait à Gilbert, son ours en peluche, qui la fixait des yeux et l'écoutait attentivement.

Elle en était au moment où son petit frère, le prince Billy, était tombé dans

un grand trou et avait atterri la tête la première dans une flaque de boue avant d'être secouru par les pompiers, lorsqu'elle aperçut Oliver qui traversait le jardin potager en marchant comme un clown. Rosie attrapa son ours, bondit sur ses pieds et fit signe à son ami.

Elle allait le rejoindre quand elle réalisa qu'elle avait son ours dans les bras.

« Il ne faut surtout pas qu'il me voie avec un ours en peluche ! se dit-elle. Il va me prendre pour un bébé. »

Se sentant vraiment bête, elle fourra le pauvre Gilbert dans le buisson derrière elle en espérant qu'Oliver n'avait rien vu...

– Qu'est-ce que c'est que ÇA ? demanda Oliver en sautillant d'un pied sur l'autre.

Il indiquait le buisson auquel Gilbert était accroché par un bras.

– Qu'est-ce que c'est QUOI ? demanda à son tour Rosie.

Il fallait réfléchir rapidement, ou Oliver allait penser qu'elle jouait encore avec ses peluches.

– ÇA ! dit-il en plongeant dans le buisson avant que Rosie l'en empêche.

Et il brandit Gilbert avec un large sourire.

– Oh, ce pauvre ours en peluche ! dit Oliver. Comment as-tu pu le jeter dans un buisson ? Ce n'est pas gentil ! Je suis sûr qu'il a été un ami tellement sympa jusqu'ici...

Rosie fit comme si elle n'en avait strictement rien à faire. Elle arracha Gilbert des mains d'Oliver et le réexpédia dans le buisson.

– Bah, il n'est pas à moi ! dit Rosie en rougissant. C'est celui de mon petit frère, le prince Billy… euh… il avait perdu une jambe… alors je la lui recousais… euh, pas mon petit frère,

bien sûr, il n'a pas perdu de jambe, lui… c'est l'ours… il a perdu une jambe et… euh…

« Quelle embobineuse ! songea Gilbert. Comment ose-t-elle raconter tout ça sur moi ? J'ai toujours mes deux jambes ! »

Et il se mit à bouder.

Oliver se contenta de regarder Rosie en souriant. Mais Rosie ne savait pas très bien s'il avait cru ou non à son histoire.

Chapitre 2

Rosie et Oliver partirent jouer. Ils laissèrent Gilbert tout seul, triste et abandonné dans le buisson.

Des coccinelles et de grosses fourmis lui grimpèrent dessus. Une chenille remonta le long de sa jambe et de son ventre, puis de son nez et entra dans son oreille.

« C'est plus qu'un ours en peluche royal ne peut en supporter ! J'espère qu'elle va bientôt revenir me chercher », se dit-il.

Mais les heures passèrent et la nuit ne tarda pas à tomber sur les jardins. Les animaux qui vivent la nuit sortirent de leur cachette et commencèrent à faire toutes sortes de bruits étranges.

Gilbert eut soudain mal au ventre, autrement dit, il commençait à avoir un petit peu peur.

Pendant ce temps-là, Oliver était rentré chez lui et Rosie s'apprêtait à se coucher.

– Tu n'aurais pas vu mon ours ? demanda-t-elle à la gouvernante.

– Petite écervelée ! s'exclama la gouvernante. Tu ne te rappelles pas où tu as pu le laisser ?

Mais Rosie était trop fatiguée pour réfléchir et, une fois bien bordée dans son lit, elle ne tarda pas à s'endormir…

Elle se réveilla en sursaut au beau milieu de la nuit, et se rappela l'endroit où elle l'avait laissé.

« Il faut que j'aille le chercher immédiatement. Il doit avoir peur tout seul ! »

Elle sortit de son lit et s'approcha sur la pointe des pieds de la porte de sa chambre, qui grinça quand elle l'ouvrit.

Le grand couloir était plongé dans le noir. Rosie ne voyait presque rien, mais elle se dirigea grâce au clair de lune.

Elle avait elle aussi un peu mal au ventre, mais comme elle était courageuse, elle continua bravement son chemin jusqu'au moment où elle passa sous l'immense tableau de son arrière-grand-oncle Montgomery, dans la cage d'escalier.

La lune éclairait son regard terrifiant et Rosie eut l'impression que ses yeux la transperçaient…

– Hiiii ! glapit-elle, terrorisée, avant de retourner très vite dans sa chambre et dans son lit douillet...

« Ce n'est qu'un tableau », se répétait-elle.

Mais quand même... Elle se retourna sur le côté, cala fermement son pouce dans sa bouche et se rendormit.

Gilbert devrait attendre jusqu'à demain...

Chapitre 3

Le lendemain matin, Gilbert était toujours accroché dans le buisson de roses.

– Qu'est-ce donc ? fit une voix.

Gilbert fut sorti du buisson par un grand garçon qui portait une hache.

C'était Jack, le fils du bûcheron : il venait parfois donner un coup de main dans les jardins du château.

« C'est un vieil ours en peluche ; on dirait qu'il est là-dedans depuis des années », se dit-il.

«Je ne suis pas un vieil ours en peluche ! Je suis un ours en peluche royal, et je ne suis là-dedans que depuis une nuit ! » protesta Gilbert.

Il essaya de donner un coup de pied au garçon, mais évidemment, il ne se passa rien du tout.

Jack fourra Gilbert dans sa poche et l'y oublia toute la journée.

Cet après-midi-là, le fils du bûcheron était occupé à arracher des roseaux au bord de la rivière. Il se pencha un peu trop et... PLOUF ! Gilbert glissa de sa poche et tomba dans l'eau.

– Je suis un poisson ! gargouilla Gilbert. C'est trop drôle !

Tandis qu'il battait des bras et des jambes, il fut emporté par le courant rapide de la rivière qui traversait les prés, sortait du domaine royal et s'en allait dans la campagne verte et ensoleillée.

Alors que Gilbert allait disparaître sous un pont, une benne à ordures passait sur la route. L'un des éboueurs l'aperçut et le camion s'arrêta.

L'homme sortit Gilbert de l'eau.

– Qu'est-ce que tu as pêché, Fred ? demanda le chauffeur.

– Un vieil ours en peluche ! Je vais l'ajouter à la collection !

Il essora Gilbert et l'accrocha à l'avant du camion en compagnie des autres petites trouvailles ramassées par les éboueurs : de vieilles poupées de chiffon, des fleurs en plastique et des jouets cassés.

– Tu es un ours plutôt chic, toi ! Qu'est-ce que tu fais ici avec nous ? lui demanda une poupée qui n'avait plus qu'un œil.

– Je n'en sais rien, répondit Gilbert, le nez en l'air. J'appartiens à Rosie, la princesse de toute la contrée… Je suis son jouet préféré.

– Je vais te croire ! Je parie que ta princesse Rosie en a eu assez de toi et t'a jeté à la poubelle, oui ! Pour qui tu te prends, Monsieur l'Important ? Vieux chiffon, va ! ALLEZ, DU BALAI !

Là-dessus, la poupée qui n'avait qu'un œil poussa Gilbert si brutalement qu'il tomba du camion et roula dans la poussière, tandis que la benne poursuivait son chemin.

Gilbert se retrouva au bord de la route et se sentit encore plus abandonné.

« Ça ne fait pas vraiment du bien. Quelle horrible poupée ! songea-t-il. Peut-être que Rosie ne m'aime plus : après tout, elle a essayé de me cacher dans le buisson de roses. »

Gilbert contempla ses pieds tout sales en réfléchissant gravement. Mais comme il était d'un naturel plutôt gai, il retrouva sa bonne humeur en songeant à des choses agréables.

Heureusement pour Gilbert, Rosie pensait bel et bien à lui. Levée de bon matin, elle était partie directement à sa recherche, mais évidemment, il n'était plus dans le buisson de roses.

Elle avait demandé au roi et à la reine s'ils n'avaient pas vu son ours en peluche. Et elle avait demandé à tout le monde au château de l'aider à le retrouver.

À l'heure du déjeuner, cela faisait plusieurs heures qu'on cherchait ce cher vieux Gilbert, mais il n'était nulle part… Oh là là !

Chapitre 4

Gilbert était encore par terre sur la route quand surgit une bande d'écoliers très excités qui allaient jouer au foot. Ils s'arrêtèrent net en voyant le vieil ours en peluche.

Catastrophe ! C'est Quentin qui le ramassa et le mit sous son bras.

Lorsqu'ils arrivèrent sur le terrain de foot, le grand Léo lui chipa Gilbert et, d'un formidable coup de pied, l'expédia dans les airs comme un ballon !

Le pauvre Gilbert s'envola haut, haut, très haut dans le ciel, plus haut que les toits des maisons, avant de redescendre…

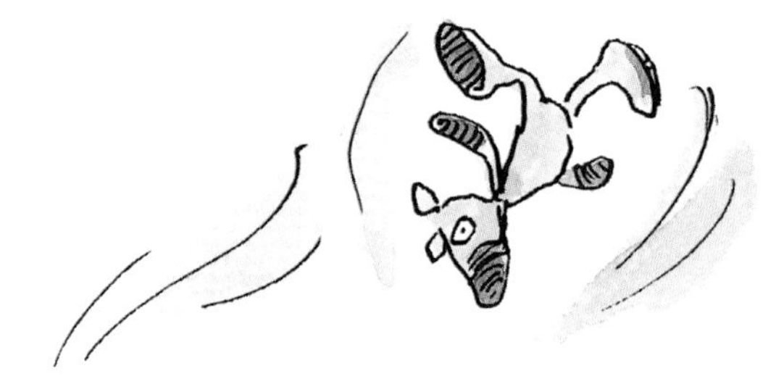

Il atterrit droit entre les mâchoires grandes ouvertes d'un petit chien noir et blanc hirsute qui se mit à japper et à sautiller en tous sens, tant il était content. Après quoi il traversa le terrain de foot et fila en emportant Gilbert.

– Hé ! Il est là ! s'écria Quentin.

Mais c'était trop tard : le chien avait disparu et l'ours en peluche avec lui.

Le chien parcourut toute la ville sans lâcher un instant Gilbert. Il était fier de son trophée et le rapportait chez lui.

Une petite fille qui s'appelait Alice jouait à la poupée devant sa maison quand le chien arriva.

Celui-ci courut vers Alice et lui déposa l'ours en peluche entre les mains.

– Oooh ! Qu'est-ce que tu as trouvé là, Voyou ? demanda-t-elle en frottant gentiment la tête de son chien.

– Ouah !

Très content de lui, Voyou en profita pour donner un grand coup de langue à Gilbert.

« POUAH ! C'est dégoûtant et tout baveux ! pensa Gilbert. La gouvernante me donne un bain par an, et c'est largement suffisant ! »

– Allez, viens, dit Alice à son ours. Je vais te mettre dans mon sac et t'emmener avec moi cet après-midi. Maman a dit que nous irions dans un endroit génial.

La fameuse émission de télévision « Trésors de vos greniers » venait de s'installer dans les jardins de la mairie. Cette émission plaisait beaucoup aux gens qui adoraient les vieux objets. Mme Acidulette, la maman d'Alice, avait acheté des places pour y participer.

Tom Belhomme, le célèbre animateur, se préparait à présenter aux caméras et au public un vieil ours en peluche plutôt miteux que la maman d'Alice avait apporté.

Pendant qu'il discutait avec Mme Acidulette et qu'une des maquilleuses lui poudrait le nez, Alice eut une idée…

« Je vais mettre mon nouvel ours en peluche sur la table, comme ça il pourra faire connaissance avec ce vieil ours tout râpé », se dit-elle.

Alice ouvrit son sac et posa Gilbert sur la table, juste à côté du vieil ours de sa maman.

Tom Belhomme se retourna et il eut un choc. Ignorant le vieil ours en peluche, il examina attentivement Gilbert.

– Madame Acidulette ! s'exclama-t-il en attrapant Gilbert. Depuis que je fais cette émission, c'est la première fois que je vois un ours aussi rare et précieux ! Où l'avez-vous trouvé ?

Il renversa Gilbert la tête en bas pour regarder son étiquette.

« Quelle grossièreté ! pesta Gilbert. Ça ne se fait pas de retourner les ours en peluche sans leur demander la permission. »

Chapitre 5

Mme Acidulette resta sans voix, probablement pour la première fois de sa vie.

– Je… je… je…, bredouilla-t-elle.

– Eh bien, dit Tom Belhomme, cet ours en peluche est très rare et, d'après moi, il devrait coûter… au moins trois mille eu-eu…

Soudain un grand battement d'ailes se fit entendre autour de la table et

un aigle gigantesque arracha Gilbert des mains de Tom Belhomme et l'emporta haut dans le ciel.

« TRÈS HAUT... TRÈS HAUT... ENCORE PLUS HAUT ! songea Gilbert. C'est génial ! De toute ma vie d'ours en peluche, jamais je ne me suis autant amusé ! »

« YOOOOUUUUUUU-HHHOOOUUUUUU ! cria-t-il tout joyeux en essayant de battre des bras. Maintenant je suis un oiseau et je vole ! »

Le grand aigle brun regarda de plus près cette chose étrange qu'il tenait entre ses serres.

« Tu n'es pas un oiseau et tu ne sais pas voler non plus, dit-il. Et tu ne feras certainement pas un bon repas pour mes petits – alors ouste ! »

Sur ce, il lâcha le petit ours en peluche.

Gilbert jeta un coup d'œil sur ses bras et réalisa brusquement… qu'il n'avait pas d'ailes !

Il plongea comme une pierre, la tête la première !

Pendant ce temps, Rosie cherchait toujours Gilbert. La dernière fois qu'elle l'avait vu, elle n'avait pas été très gentille avec lui.

– Peut-être que ça te servira de leçon et que tu prendras un peu plus soin de tes affaires !

Après l'avoir ainsi sermonnée, la gouvernante partit préparer des tartes à la confiture pour tenter de rendre le sourire à Rosie.

Oliver revint voir Rosie et s'aperçut qu'elle était très triste.

– Tu ne devrais pas avoir honte d'aimer un ours en peluche, lui dit-il. Je vais te montrer ce que j'ai, moi, et que j'adore.

Et il sortit de sa poche une espèce de petite peluche rose toute sale et informe.

– Je te présente Moucheron, annonça-t-il en l'agitant sous le nez de Rosie. C'est tout ce qui reste de mon vieux lapin.

Un œil pendait au bout d'un fil et Moucheron n'avait plus qu'une oreille, mais Oliver le contemplait avec amour.

– Jamais je ne me séparerai de lui.

Et il rangea tendrement Moucheron dans sa poche.

– Tu as raison, je n'aurais jamais dû faire semblant de ne plus aimer mon nounours adoré, reconnut Rosie.

C'est alors qu'elle eut une idée.

– J'ai trouvé ! On va faire des affichettes qu'on mettra dans tout le château.

– Excellente idée ! dit Oliver.

Rosie alla chercher du papier et des crayons. Elle fit les dessins et Oliver le texte.

Perdu ours
en peluche
avez-vous vu
Gilbert ?

Puis ils allèrent coller leurs affiches partout dans le château.

Chapitre 6

Rosie et Oliver passèrent leur journée à distribuer les affiches et à demander à tous les gens qu'ils croisaient s'ils n'avaient pas vu son ours.

– Je me demande bien où il peut être ! dit Rosie à Oliver.

Ils firent une pause au bord de la mare pour essayer de voir ce qu'ils pourraient imaginer pour le retrouver.

– À cette heure, il est peut-être dans le coffre à jouets d'une autre petite fille qui s'occupe bien de lui… Mais peut-être qu'elle ne s'occupe pas bien de lui. En fait, je ne le reverrai peut-être plus jamais !

Oliver dévisagea son amie.

Les coins de la bouche de Rosie s'affaissèrent et sa lèvre inférieure se mit à trembler. Rosie était sur le point d'éclater en sanglots.

Pendant ce temps-là, tout là-haut dans le ciel, le gros oiseau venait de décider que cette chose poilue ne l'intéressait pas et laissait tomber Gilbert.

Gilbert descendait à toute vitesse…

Il traversa les nuages et les arbres…
… et atterrit…

… juste sur les genoux de Rosie! PLONK!

Rosie n'en croyait pas ses yeux!

Oliver n'en croyait pas ses yeux non plus : il ôta ses lunettes et les nettoya pour être sûr qu'il n'avait pas d'hallucinations.

– Oh, Gilbert ! J'ai cru que je t'avais perdu pour toujours ! s'exclama-t-elle.

Elle fit le plus gros câlin du monde à son ours chéri.

« Tu ne devineras jamais où je suis allé et ce que j'ai fait ! songea Gilbert. J'ai nagé comme un poisson et volé comme un oiseau, et je vaux trois mille eu-eu… »

Rosie serra encore plus fort Gilbert dans ses bras.

– Peu importe où tu étais, je ne serai plus jamais méchante avec toi. Tu m'as tellement manqué ! Je suis tellement contente que tu sois revenu !

« OH, OUI ! TU PEUX L'ÊTRE ! » pensa très fort Gilbert en croisant les bras, très satisfait, rien que pour se porter bonheur.

Après quoi Rosie, Oliver et Gilbert allèrent à la cuisine manger les tartelettes à la confiture que leur avait préparées la gouvernante.

Quel soulagement d'avoir retrouvé Gilbert !

Quant au vieil ours en peluche de Mme Acidulette, il fut rapporté à la maison et lavé ; on lui donna un nom, Gribouille, et il trône à présent dans le coffre à jouets d'Alice !

FIN

Wendy Finney est née et a grandi à Londres. Elle a travaillé chez l'éditeur Victor Gollancz, avant de monter son entreprise d'architecture et d'urbanisme. Elle a trois grands enfants et vit au pays de Galles.

Tony Ross est né à Londres en 1938. Après des études de dessin, il travaille dans la publicité, puis devient professeur à l'école des beaux-arts de Manchester. En 1973, il publie ses premiers livres pour enfants. Il a, depuis lors, réalisé des centaines d'albums, de couvertures et d'illustrations de romans. Le créateur de la célèbre série d'albums « La Petite Princesse » a imaginé, en compagnie de Wendy Finney, de nouvelles aventures pour son héroïne.

La princesse pas si petite

Folio Cadet Premiers romans n° 620

« La princesse n'est plus si petite. Alors on ne peut pas continuer à l'appeler la petite princesse », déclare le roi. Le problème, c'est que personne n'ose prononcer son vrai prénom. Pourquoi faire tant de mystères ? Est-il tellement horrible ? La princesse décide de mener l'enquête.

La princesse pas si petite

Folio Cadet Premiers romans n° 621

La petite princesse reçoit la visite d'un nouvel ami qui ne ressemble vraiment pas aux autres: il parle d'une drôle de façon et ne la traite pas du tout comme une princesse. Mais avec lui, au moins, aucun risque de s'ennuyer. Et le château réserve bien des surprises!